LACTANCIA MATERNA

Sin complicaciones...

Segunda Edición

Amy Spangler, MN, RN, IBCLC

Producción

Diseño de la portada: thehappycorp global, thehappycorp.com, Nueva York, Nueva York, USA

Fotografía de la portada: Doctor Jaeger, doctorjaeger.com, Nueva York, Nueva York, USA

Edición y diseño del interior: Carol Adams Rivera, MA, Health Communication Connection, healthcommunication.info, Vienna, Virginia, USA

Ilustraciones: Rick Powell, studiopowell.com, Montpelier, Vermont, USA

Imprenta: Specialty Lithographing Co., Cincinnati, Ohio, USA

Segunda Edición

12 11 10 09   1 2 3

ISBN 978-1-933634-04-3

Para las familias de todo el mundo

Aprender a lactar
es como aprender a andar en bicicleta
—al comienzo puede parecer difícil,
pero una vez que se aprende,
¡es fácil!

Usted necesita saber algunas cosas
antes de empezar…

¡Tenga paciencia!

Algunos bebés saben cómo lactar desde el principio,
pero la mayoría necesita aprender.

¡Sea persistente!

Puede tomar varios días o semanas
para que usted y su bebé sepan exactamente qué hacer.

¡Siéntase orgullosa!

Está ofreciéndole a su bebé un regalo para siempre.

¿Qué encontrará en este libro?

El cuidado de su bebé

Cómo lactar bebés especiales

Cuidado personal

Regreso al trabajo o a la escuela

Cómo obtener ayuda

Notas de la autora:
Para facilitar la lectura, en todo el libro me refiero a
un bebé del sexo masculino.

¡Los elefantes jamás olvidan y espero que usted tam-
poco! En este libro se usa un elefante para destacar la
información importante que necesita recordar para
mantener a su bebé saludable y protegido.

La decisión
de lactar

¿Por qué debo lactar?

La lactancia es el método más simple y seguro para alimentar a su bebé. ¡Simplifica la vida de toda la familia!

¡Los bebés alimentados con el pecho materno son más saludables! Los bebés que lactan tienen…

- menos infecciones de oídos.
- menos gases, estreñimiento y diarrea.
- menor riesgo de neumonía.
- menor riesgo de alergias y asma.
- menor riesgo de tener el síndrome de muerte infantil súbita (SIDS por sus siglas en inglés).
- menor riesgo de obesidad durante la infancia.
- menor riesgo de diabetes.

¡Los bebés alimentados con el pecho materno son más felices! Los bebés que lactan…

- reconocen a su madre desde que nacen.
- se sienten seguros en sus brazos.

¡Los bebés alimentados con el pecho materno son más inteligentes! Los bebés que lactan…

- tienen un mejor desarrollo cerebral.
- tienen mejores resultados en los exámenes de inteligencia (IQ).

¡Las madres que lactan son más saludables! Las madres que lactan…

■ sangran menos después del parto y pierden peso más rápidamente.

■ tienen menos riesgo de desarrollar cáncer de mamas, de ovario y uterino.

■ tienen huesos fuertes.

¡La lactancia ahorra tiempo y dinero! Los padres que lactan…

■ ahorran más de $1,000 (EE.UU.) durante el primer año al no tener que comprar biberones, tetinas y fórmula.

■ faltan menos al trabajo y pierden menos ingresos.

¡La leche materna es perfecta para su bebé! La leche materna…

■ contiene más de 200 nutrientes.

■ está siempre lista.

■ es limpia y segura.

■ nunca está demasiado fría o caliente.

■ hace que las vacunas funcionen mejor.

¡La lactancia simplifica y facilita su vida!

¿Qué debo hacer si mis familiares y amigos me dicen que no lacte?

Aprenda todo lo que pueda acerca de la lactancia antes de que nazca el bebé. Comparta estos conocimientos con familiares y amigos. Hágales saber que la lactancia es lo MEJOR para usted y su bebé. No olvide decirle a abuelita que la necesita mientras aprende a ser mamá de su nieto.

¿Cómo puedo lactar en presencia de otros sin sentirme incómoda?

Algunas madres se sienten incómodas al lactar en presencia de otras personas. Otras no. Si usted vive en un lugar donde los senos son vistos primordialmente como objetos sexuales, puede experimentar timidez al lactar en público. Puede ser útil recordar que los senos fueron creados para la lactancia. Con un poco de práctica, puede aprender a lactar sin que los senos se vean. Dígale a su pareja que necesita su apoyo. ¡Siéntase confiada! Está brindándole a su bebé lo mejor.

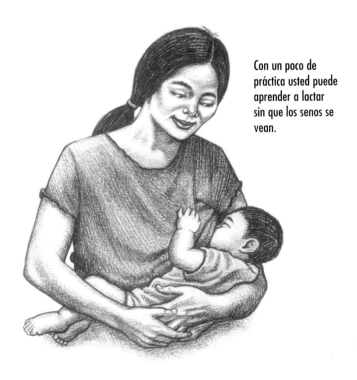

Con un poco de práctica usted puede aprender a lactar sin que los senos se vean.

¿Mi pareja sentirá que no está participando?

Por fortuna, la lactancia beneficia a todo aquel que forme parte de la vida del bebé. Los bebés que lactan tienen menos visitas al médico y hospitalizaciones, lo que facilita la tarea de los padres. Alimentarlo por la noche es sencillo porque no hay que mezclar la fórmula, medirla o calentarla. Los bebés que lactan son portátiles: ¡buenas noticias para las familias muy activas!

La lactancia consume tiempo y energía, especialmente durante las primeras semanas. Es fácil que la pareja—especialmente el padre—se desaliente. Por fortuna, las primeras semanas duran poco. Dígale a su pareja lo mucho que necesita de su apoyo mientras aprende a cuidar su bebé.

Consejitos para las parejas, especialmente los papás:

- Aprenda todo lo que pueda acerca de la lactancia.
- Ayude a acomodar al bebé para lactar, sacarle los gases y cambiarle los pañales.
- Dé de comer a su pareja mientras ella lacta a su bebé.
- Dígale a su pareja que usted está muy orgulloso de ella.

- Pase tiempo a solas con su bebé cada día—lléveselo cuando sale a caminar, juegue en la bañera, cante, baile, lea o simplemente vea la televisión con él.
- Si siente celos o enojo, hable acerca de sus sentimientos.
- ¡Pase tiempo a solas cada semana con su pareja!

La mejor manera de conocer a su bebé es pasar tiempo con él.

¿Mis senos son demasiado pequeños para lactar?

Los senos vienen en todas las formas y tamaños. Las mujeres con senos pequeños producen tanta leche como las mujeres con senos grandes. La mayoría de los bebés aprenderán a lactar del pecho materno si se les da la oportunidad. ¡Sólo necesitan práctica!

Sin embargo, el tamaño del pezón y su forma pueden facilitar o dificultar la lactancia para algunos bebés. Si tiene preguntas acerca del tamaño o la forma de sus senos o pezones, hable del tema con su proveedor de atención médica.

¿Cambiarán el tamaño y forma de mis senos con la lactancia?

Hay muchas razones por las que cambian el tamaño y la forma de los senos, entre ellas la edad, el embarazo, la herencia y cuando se pierde o gana peso. Es posible que sus senos se achiquen después del nacimiento del bebé y que pierda el peso que aumentó durante el embarazo. Esto puede ocurrir sin importar qué método elija para alimentar a su bebé.

¿La lactancia duele?

La lactancia no debería doler si su bebé está en una buena posición. Puede sentir tirones o estiramiento al comienzo de la sesión de lactancia, cuando su bebé se prende al seno. Algunas madres dicen que estos tirones son dolorosos, pero esta sensación debe durar sólo algunos segundos. Si dura más tiempo, rompa la succión poniendo uno de sus dedos dentro de la boca del bebé. Separe al bebé del seno y vuelva a intentarlo.

¿Cuánto tiempo toma lactar?

Al comienzo, los bebés comen con frecuencia, ¡pero esto le da a usted y al bebé la oportunidad de pasar tiempo juntos y conocerse!

Cómo prepararse
para la lactancia

¿Cómo se produce la leche?

Dentro del seno hay células especiales que producen la leche. Unos tubos pequeños, llamados *conductos lactíferos*, conducen la leche desde las células que la producen hasta las aberturas del pezón.

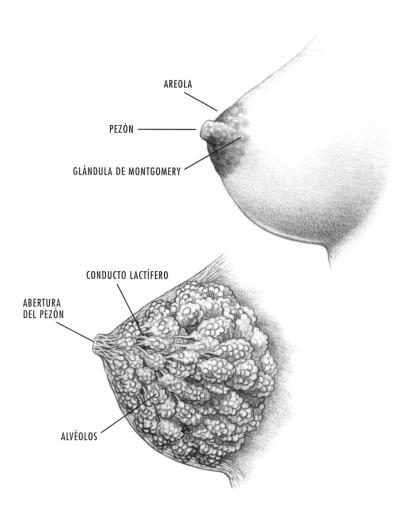

AREOLA

PEZÓN

GLÁNDULA DE MONTGOMERY

CONDUCTO LACTÍFERO

ABERTURA
DEL PEZÓN

ALVÉOLOS

Cuando el bebé succiona el seno, se transmite un mensaje a su cerebro: "¡tengo hambre!" El cerebro capta el mensaje y le indica a sus senos que liberen leche. Este flujo de leche desde los senos se conoce como *reflejo de bajada*. Es posible que sienta un cosquilleo o quemazón en los senos cuando baja la leche. También es posible que vea como ésta gotea de sus pezones. No se inquiete si no siente o no ve nada. Todas las madres son diferentes.

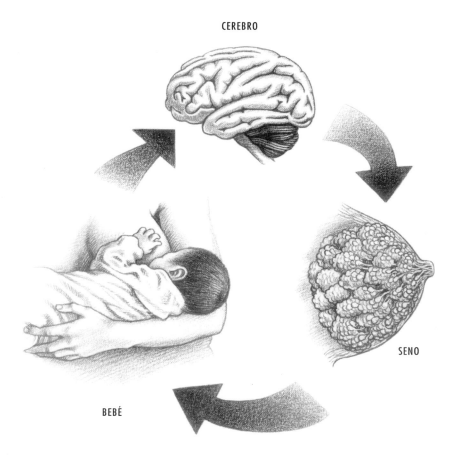

CEREBRO

SENO

BEBÉ

El cerebro también le indica a sus senos que produzcan más leche para reemplazar la que su bebé extrae.

 Mientras más leche extraiga el bebé de sus senos, más leche producirá.

¿Qué aspecto tiene la leche materna?

El calostro es la primera leche que producen sus senos.
Puede ser espesa y amarillenta o transparente y aguada.
El calostro se produce durante los últimos meses del
embarazo y los primeros días posteriores al parto. Los
recién nacidos necesitan pequeñas cantidades de alimento con frecuencia. Por eso, las madres producen
pequeñas cantidades de calostro cada día. Facilita las
evacuaciones del bebé, lo protege de las enfermedades
y satisface su hambre y su sed. El calostro es la primera
inmunización de su bebé.

El calostro es el único alimento que su bebé necesita.

Durante las 2 primeras semanas después del parto,
la leche cambiará gradualmente de calostro a leche
madura. La leche madura está compuesta de dos
partes, la "primera leche" y la "leche final". La primera
leche es fluida y aguada. La leche final es espesa y
cremosa. Su bebé recibe la primera leche al inicio de
la sesión de lactancia y la leche final al concluir la
misma. La primera leche y la leche final contienen
todas las vitaminas, minerales y nutrientes que el bebé
necesita para crecer.

¿Cómo debo cuidar mis senos?

Los senos y los pezones requieren poco o ningún cuidado. Las *glándulas de Montgomery*, semejantes a granitos en la parte más oscura del seno que rodea al pezón, producen una sustancia aceitosa que mantiene los pezones limpios y lubricados.

Después de que empiece a lactar, siga estas sencillas sugerencias....

- Lave sus senos una vez al día mientras se baña en la tina o en la regadera.

- Use solamente agua y un jabón suave. No use lociones, cremas o aceites.

- No necesita usar sostén mientras lacta, pero si decide usarlo para sentir más comodidad y soporte, puede probar un sostén de lactancia que le resulte práctico. Elíjalo de algodón, ya que es cómodo y fácil de ajustar.

- Si emplea almohadillas para proteger su ropa, recuerde cambiarlas a menudo. Elija las fabricadas en capas blandas de algodón, seda o lana. No utilice almohadillas con forros de plástico porque acumulan la humedad. Algunas almohadillas están hechas para ser usadas sólo una vez, otras pueden lavarse y volverse a usar.

- Si su piel se reseca, puede usar una pequeña cantidad de lanolina modificada. Con un poco basta.

- Si tiene los pezones sensibles, coloque en la zona de los pezones y las areolas unas pocas gotas de leche materna después de cada sesión de lactancia.

- ¡Si los pezones le duelen, se le agrietan, o sangran, pídale ayuda a su proveedor de atención médica!

Evite usar crema, loción o aceite en los senos.

Comenzando a lactar

¿Cómo se empieza?

Comience a lactar tan pronto nazca el bebé. Lactar temprano y frecuentemente ayudará a que usted y su bebé empiecen bien.

POSICIÓN
DE FÚTBOL

POSICIÓN DE
COSTADO

Elija una posición que sea cómoda. Coloque al bebé a nivel de su seno utilizando almohadas para soporte. Ponga al bebé de lado o acurrúquelo debajo de su brazo de modo que su cabeza, hombros, rodillas y pecho estén frente a sus senos. Recuerde cómo se enfrenta usted a la mesa para comer alimentos y posicione a su bebé de la misma manera.

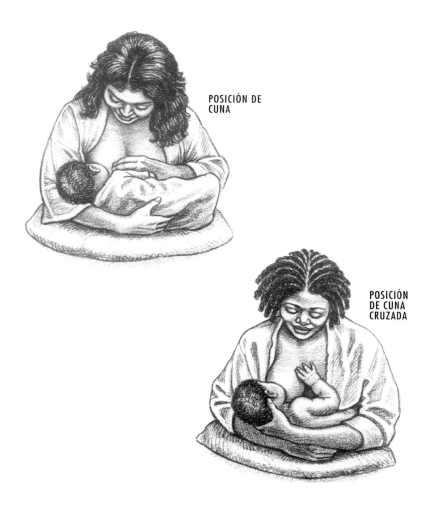

POSICIÓN DE CUNA

POSICIÓN DE CUNA CRUZADA

Extraiga (exprima) unas cuantas gotas de calostro.
Coloque el pulgar y los demás dedos alrededor de la
areola, la zona oscura del seno alrededor del pezón.
Haga presión contra su pecho. Luego comprima
(apriete delicadamente) el seno, no el pezón, entre el
pulgar y los demás dedos.

Sostenga el seno. Si necesita sostener el seno con la
mano, asegúrese de ubicar el pulgar y los demás dedos
alejados del pezón.

Sostenga al bebé. Ubique su mano alrededor del
cuello del bebé para sostenerlo. No coloque la mano
en la parte de atrás de la cabeza del bebé.

Cosquillee la nariz del bebé con el pezón. Cuando el
bebé abra bien la boca, como en un bostezo, colóquelo
suavemente en el seno, comenzando con su barbilla y
labio inferior. ¡Asegúrese de que se prenda bien al seno
en una succión profunda!

Sostenga al bebé cómodamente junto a usted. Si
lo sostiene cercano al pecho, podrá prenderse bien y
comprimir el seno entre el paladar por arriba y la len-
gua por debajo.

**Observe la nariz, las mejillas, la barbilla y los labios
del bebé.** La barbilla del bebé debe presionar firme-
mente el seno. La nariz y las mejillas deben tocar

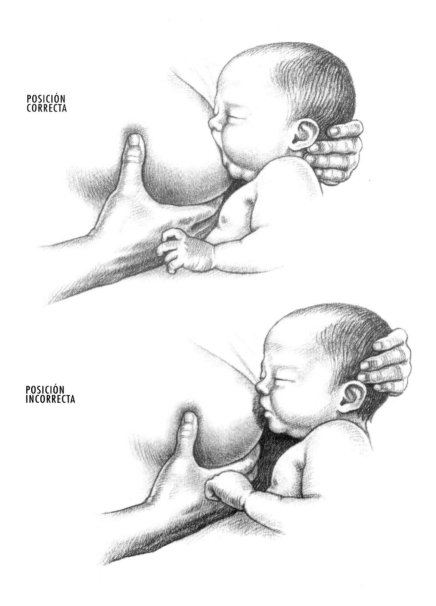

POSICIÓN
CORRECTA

POSICIÓN
INCORRECTA

suavemente el seno. ¡La boca debe estar completamente abierta como en un bostezo y los labios deben curvarse hacia afuera como los de un pez!

¡Esté pendiente del bebé, no del reloj! Permita que el bebé se alimente del primer seno durante el tiempo que él lo desee (alrededor de 10–20 minutos) antes de ofrecerle el segundo seno. Cuando deje de succionar y tragar o cuando se duerma, despiértelo, haga que eructe y ofrézcale el segundo seno.

Interrumpa la succión antes de separar al bebé del seno. Puede interrumpir la succión deslizando suavemente el dedo entre las encías del bebé y metiéndoselo en la boca.

Ofrezca ambos senos en cada sesión de lactancia, pero no se preocupe si el bebé parece estar satisfecho con uno sólo.

Comience cada sesión de lactancia en el último seno que ofreció en la sesión anterior.

Alimente al bebé con frecuencia. Dado que el estómago del bebé tiene aproximadamente el mismo tamaño que su puño, es preferible que las sesiones sean cortas y frecuentes.

¡Esté pendiente del bebé, no del reloj!

Espere a que usted y el bebé hayan aprendido a lactar antes de ofrecerle un biberón o un chupete. Las tetinas de los biberones y los chupetes pueden confundirlo.

¡Relájese y disfrute estos momentos con su bebé!

 ¡La leche materna tiene todos los nutrientes que el bebé necesita! Si le da al bebé agua, fórmula u otros alimentos, producirá menos leche.

¿Con qué frecuencia debo lactar?

Ofrezca el pecho siempre que el bebé muestre señales de hambre o sed. Estas señales incluyen:

- inquietud
- chuparse el dedo o las manos
- hacer "chasquidos" con los labios
- toser
- bostezar

Algunos se alimentan cada 1 a 3 horas durante el día y la noche, otros se alimentan cada hora durante tres a cinco sesiones de lactancia y luego duermen por 3 a 4 horas. Cada bebé es diferente.

Su bebé necesita lactar al menos 8 veces cada 24 horas. Muchos bebés lactan entre 10 y 12 veces por día.

A veces los bebés dormilones no piden comer con suficiente frecuencia y hay que despertarlos para lactar. Durante las primeras 4 a 6 semanas, si el bebé no se despierta para comer al menos 8 veces cada 24 horas, observe las primeras señales de hambre o sueño liviano. Ofrézcale el pecho en esos momentos. Mientras más leche consuma el bebé, más leche producirá usted.

Consejos para despertar a un bebé dormilón

- sentarlo sobre su falda y hablarle
- dar masajes a los pies y espalda
- cambiarle el pañal
- frotarle las nalgas con un pañito frío

¿Cuánto dura una sesión de lactancia?

¡Su bebé le hará saber cuándo está satisfecho!

Algunos bebés lactan entre 10 y 15 minutos en cada seno, otros entre 15 y 30 minutos en cada seno y otros entre 15 y 30 minutos en un seno solamente.

Cuando el bebé deje de succionar, haga que eructe y ofrézcale el segundo seno. Si se alimenta poco del primer seno, colóquelo nuevamente en ese seno antes de ofrecerle el segundo para asegurar que obtenga las grasas y calorías necesarias para el crecimiento. No se preocupe si se alimenta de un seno solamente. ¡Cada seno es capaz de proveer una comida completa!

El bebé le hará saber cuándo está satisfecho.

El cuidado
de su bebé

¿Cómo puedo saber si mi bebé se está alimentando lo suficiente?

A muchas madres les preocupa si el bebé está recibiendo suficiente alimento. El estómago del bebé es del tamaño de su puño, ¡de modo que producir leche suficiente para llenar su estómago es fácil! Simplemente recuerde ¡todo lo que sale por abajo es porque ha entrado por arriba! Puede estar segura de que su bebé está bien alimentado si:

- está activo y alerta.
- se muestra contento y satisfecho después de lactar.
- lacta un mínimo de 8 veces cada 24 horas.
- succiona y traga mientras lacta.
- pierde menos del 7 por ciento de lo que pesó al nacer.
- aumenta de 4 a 8 onzas (120 a 240 g) por semana después de la primera semana.
- tiene cuatro o más evacuaciones y moja seis o más pañales diarios al quinto día.
- tiene evacuaciones amarillas al quinto día.
- la orina es transparente o amarillo claro.

Si usted nota *todas* las señales arriba mencionadas, puede estar segura de que el bebé se está alimentando lo suficiente.

Si se siente insegura, siga lactando y llame al proveedor de atención médica de su bebé o a su clínica WIC (vea "Qué es el programa WIC", pág. 85).

¿Qué aspecto deben tener las heces del bebé?

La buena noticia es que las evacuaciones de los bebés que lactan no huelen mal.

¡La mala noticia es que serán muchas!

Las heces de los bebés que lactan parecen una combinación de agua, mostaza amarilla, requesón y semillas de sésamo. A veces, lo único que se ve es una mancha amarilla del tamaño del puño del bebé.

La mayoría de los bebés tienen cuatro o más evacuaciones diarias por muchas semanas. A medida que el bebé crece, cambia el tamaño y la cantidad de las heces. Los bebés mayores a menudo tienen menos evacuaciones pero son más voluminosas.

¿Puedo dormir con el bebé?

Cuando los bebés duermen cerca de la madre, las sesiones de lactancia nocturna son más fáciles, las madres duermen más, y los bebés tienen menos riesgo del síndrome de muerte infantil súbita (SIDS por sus siglas en inglés). Los bebés a menudo duermen en más de un lugar, es decir, en asientos del carro, cunas, camas portátiles, cunitas moisés, accesorios que se encajan al lado de una cama para adultos, y en camas para adultos. Aunque algunas de estas áreas son seguras, otras no lo son. Además, hay ciertas condiciones y comportamientos que pueden transformar un área segura en un área insegura. Las siguientes sugerencias le ayudarán a proteger al bebé.

- Acueste al bebé sobre la espalda. No lo coloque sobre el estómago ni de costado.

- Retire toda la ropa de cama blanda, acolchada o suelta y también los juguetes del área en que duerme el bebé.

- Use *solamente* una colcha o manta liviana, o ponga al bebé en un saco de dormir. No utilice cobertores, edredones, acolchados o almohadas.

- Vista a su bebé con una sola capa de ropa. No deje que tenga demasiado calor.

- Coloque a su bebé en un colchón firme o en otra superficie firme. No lo coloque en un colchón blando, en una cama de agua, en un sofá o en una silla.

- No deje al bebé solo en una cama para adultos.

- No deje al bebé solo en una cama para adultos con niños mayores.

- Los padres que fuman no deben dormir con el bebé.

- Los padres no deben dormir con el bebé si han consumido alcohol o drogas.

- Los padres no deben dormir con el bebé si están demasiado cansados.

- Los padres con mucho sobrepeso no deben dormir con el bebé.

Si tiene preguntas sobre dormir con su bebé, hable con el proveedor de atención médica del bebé.

¿Cuándo dormirá toda la noche?

Después de que su bebé esté lactando bien y aumentando el peso, puede empezar a permitirle establecer su propio horario de comidas. Esto puede suceder de 4 a 6 semanas después del nacimiento. Recuerde, cada bebé es diferente. Algunos seguirán lactando cada 2 ó 3 horas, día y noche, por varias semanas. Otros lactarán cada 1 ó 2 horas cuando estén despiertos y dormirán por períodos más largos. Alrededor de las 6 a 12 semanas de vida, muchos bebés dormirán desde la medianoche hasta las 4 ó 5 de la mañana. ¡Quizás simplemente deba cambiar el concepto de lo que es la noche!

¿Qué puedo hacer para calmar su llanto?

Los bebés lloran por muchas razones, y algunos lloran más que otros. A veces es fácil saber la causa del llanto, pero a menudo no se descubre la causa. Muchos bebés tienen un período de inquietud al atardecer o al anochecer. Algunos bebés dejarán de llorar si los levantan en brazos, los acunan, los mecen o los bañan. Le tomará algún tiempo descubrir cuál de estos recursos funciona con su bebé.

El mejor modo de calmar el llanto es revisar cada una de las posibles causas. Su bebé puede sentir hambre, cansancio, frío, calor, aburrimiento o estar enfermo. Si tiene hambre, ofrézcale el pecho. Si está cansado, colóquelo en la cuna. Si está inquieto, pruebe tenerlo en sus brazos, pasearlo o mecerlo. Si tiene el pañal mojado o sucio, cámbielo. Si lo nota acalorado, quítele la ropa. Si lo nota muy frío, abríguelo. Si está enfermo, tómele la temperatura. Si tiene fiebre, llévelo al proveedor de atención médica o llame a la clínica WIC (vea "Qué es el programa WIC", pág. 85).

Si encuentra que no puede manejar el llanto de su
bebé, déjelo al cuidado de otra persona por un rato y
tómese un descanso. Si esto es imposible, colóquelo
de manera segura en la cuna y ponga algo de música,
báñese o haga cualquier cosa que le ayude a relajarse.

¿Puedo darle el chupete?

Mientras más lacte, más pronto usted y su bebé aprenderán esta importante destreza. Si le da un chupete durante las primeras semanas de vida, el bebé podría lactar menos y no aprender a hacerlo bien. Algunos estudios tambien sugieren que los chupetes podrían reducir el riesgo del síndrome de muerte infantil súbita (SIDS). Sin embargo es mejor esperar hasta que el bebé esté lactando bien (aproximadamente 4 a 6 semanas después del nacimiento) antes de ofrecerle el chupete. ¡Muchos bebés que lactan prefieren chuparse el pulgar, los demás dedos o los puños!

¿Necesito darle vitaminas?

Su bebé necesita una sola dosis de vitamina K y una dosis diaria de vitamina D. La vitamina K se la dará el pediatra inmediatamente después del nacimiento. La principal fuente de vitamina D es la luz del sol. Como es difícil medir la cantidad de luz solar que recibe el bebé, y puede ser perjudicial recibir demasiada luz, muchos médicos recomiendan comenzar a darle una dosis diaria de 200–400 IU de vitamina D desde poco después de nacer.

¿Hasta cuándo debo lactar a mi bebé?

Algunas madres lactan por unas semanas, algunas por varios meses y otras por varios años. Cualquier tiempo de lactancia es bueno para usted y el bebé. Hasta cuándo vaya a lactar depende de sus necesidades y las de él.

 La leche materna es el único alimento que el bebé necesita durante los primeros 6 meses de vida.

Algunos bebés comienzan a perder interés en el pecho materno entre los 6 y 12 meses, cuando se les ofrecen alimentos sólidos. Cambiar la leche materna por otros alimentos se conoce como destete. Lo más importante del destete es hacerlo gradualmente. Algunos bebés se destetan completamente entre los 12 y los 24 meses. Otros continúan lactando periódicamente durante 3, 4 o más años—¡el pecho materno es un sitio magnífico para comer, dormir y ser arrullado!

Consejos para un destete gradual

- Reemplace una sesión de lactancia a la vez con alimentos sólidos o líquidos, dependiendo de la edad y la capacidad del bebé. Puede pedirle a otro miembro de la familia, tal vez al hermano, la hermana o el padre, que le ofrezcan el alimento sustituto.

- Reemplace otra sesión de lactancia cada 3 a 5 días, hasta completar el destete.

- Acune con más frecuencia a su bebé. El bebé aún puede encontrar comodidad y apoyo entre sus brazos.

- Distraiga a un bebé activo con juegos, actividades al aire libre y cuentos.

- Se puede seguir produciendo un poco de leche por bastantes días o hasta por muchas semanas después del destete.

A veces sucede algo (accidente o enfermedad) que hace necesario el destete rápido.

Consejos para un destete rápido

- Extraiga con la mano o con la bomba sacaleche una pequeña cantidad de leche para aliviar los senos y evitar que se congestionen. Extraiga solamente la cantidad necesaria para ablandar el seno. Mientras más leche extraiga, más leche producirá.

- Póngase compresas frías en los senos para calmar el dolor y bajar la hinchazón.

- Use un sostén con buen ajuste para comodidad y soporte.

- Tome acetaminofeno (Tylenol) o ibuprofeno (Advil) para calmar el dolor.

¿Cuándo debo ofrecerle alimentos sólidos?

Desde el nacimiento a los 6 meses:
La leche materna es el único alimento que el bebé necesita durante los primeros 6 meses de vida. Si empieza con los alimentos sólidos demasiado pronto, puede causar estreñimiento, diarrea, gases, vómitos o alergias.

Desde los 6 meses a 1 año:
Cuando el bebé tenga cerca de 6 meses de edad, puede comenzar a ofrecerle alimentos sólidos. Reconocerá que el bebé está listo para los alimentos sólidos si se puede sentar, girar la cabeza, llevarse comida a la boca y tragar. Si bien los alimentos sólidos proporcionan vitaminas y nutrientes, la leche materna debe ser una parte esencial de la dieta del bebé por lo menos durante un año.

Si deja de lactar al bebé antes de que cumpla 1 año de edad, consulte al proveedor de atención médica del bebé para que le recomiende una fórmula enriquecida con hierro. Su bebé debe tener 1 año de edad antes de tomar leche de vaca.

¿Qué son los estirones de crecimiento?

Puede haber épocas en que su bebé crece con más rapidez de lo usual. Esto se conoce como estirones. Un aumento drástico en la frecuencia de lactancia puede ser indicio de un estirón. Los estirones a menudo ocurren alrededor de las 3 semanas, 6 semanas, 3 meses y 6 meses. No obstante, pueden darse en cualquier momento. Como el bebé querrá comer en todo momento, sus familiares y amigos pueden sugerir que "no está produciendo suficiente leche", que "es necesario darle fórmula o alimentos sólidos" o que "ha llegado el momento de dejar de lactar". Tenga paciencia. Después de 2 a 3 días, la producción de leche aumentará y el bebé pedirá lactar con menos frecuencia.

¿Qué son las huelgas de lactancia?

La huelga de lactancia es un rechazo repentino a lactar. A veces la causa puede identificarse con rapidez, como por ejemplo, la salida de un diente, fiebre, infección de oído, nariz tapada (resfriado), estreñimiento o diarrea. Un desodorante, perfume, o talco en la piel de la madre pueden también ser la causa de esta huelga. Otras veces la causa no se descubre nunca. Necesitará exprimir manualmente o extraer la leche de sus senos con una bomba sacaleche hasta que termine la huelga. Mientras tanto, déle la leche materna al bebé usando una cucharita de té, un cuentagotas, una cuchara con mango hueco para medicamentos o una taza. Esté pendiente a las primeras señales de hambre en su bebé y ofrézcale el pecho en esos momentos. Lacte en un lugar tranquilo. Póngale toda su atención al bebé. Las huelgas de lactancia casi nunca terminan en destete.

Cómo lactar bebés especiales

¿Puedo lactar si tengo más de un bebé?

Muchas madres pueden producir suficiente leche para satisfacer las necesidades nutritivas de dos (o más) bebés. Mientras más leche extraigan sus bebés de los senos, más leche producirá.

Al comienzo puede resultarle más fácil alimentar un bebé a la vez. Pero después de que usted y los bebés hayan aprendido a lactar bien, puede ahorrar tiempo alimentando a los dos al mismo tiempo. Algunos bebés lactarán de un seno en una sesión, mientras que otros lactarán de ambos. Simplemente recuerde que cada bebé necesita lactar al menos ocho veces cada 24 horas.

Dos o más bebés tomarán más tiempo, no importa qué método elija para alimentarlos. Por lo tanto, no olvide cuidarse a sí misma además de a sus bebés. Consuma una variedad de alimentos sanos, beba lo suficiente para satisfacer la sed y acepte todas las ofertas de ayuda de familiares y amigos.

COMBINACIÓN DE POSICIONES DE
CUNA-FÚTBOL-PARALELA

DOBLE FÚTBOL O ABRAZADO

CUNA CRUZADA O DOBLE

¿Puedo lactar si mi bebé es prematuro?

El nacimiento de un pequeño bebé semanas o meses antes de la fecha estimada puede asustarnos un poco. Es posible que tenga muchas preguntas.

- ¿Por qué ocurrió eso?
- ¿Se debe a algo que hice?
- ¿Cómo se alimentará si es demasiado pequeño para succionar?
- ¿Puedo lactar?

Los bebés prematuros pueden lactar, incluso los que necesitan atención especial. La lactancia les da a los padres la posibilidad de participar en el cuidado del bebé haciendo algo que ninguna otra persona puede hacer. La leche de las madres que dan a luz en forma prematura contiene exactamente la cantidad apropiada de nutrientes para satisfacer las necesidades de hasta los bebés más prematuros.

Dígale al personal del hospital que usted planifica lactar. Aunque su bebé sea demasiado pequeño o esté demasiado enfermo para lactar, puede recibir leche materna. El personal de hospital puede enseñarle cómo extraer y almacenar su leche.

Tan pronto como su bebé esté en condiciones que permitan que pueda tenerlo en sus brazos por cierto tiempo cada día, pídale a la enfermera que lo coloque debajo de su ropa (piel a piel) y que lo acurruque contra su pecho (estilo canguro).

El proveedor de atención médica del bebé le indicará cuándo su bebé está listo para lactar.

Puede cuidar de su bebé sosteniéndolo "piel a piel" contra el pecho
(de manera que la piel del bebé haga contacto con la suya).

¿Puedo lactar si mi parto fue por cesárea?

Las madres que han tenido un parto por cesárea pueden también lactar. Si la madre o el bebé necesitan cuidado especial, es posible que se demore el inicio de la lactancia. Si su parto fue por cesárea, las siguientes sugerencias pueden ser útiles.

- Elija una posición cómoda. Use almohadas adicionales para proteger la incisión (herida) y ofrecer soporte. Las posiciones de costado o fútbol son las mejores.

- Mantenga al bebé en la misma habitación que usted para ahorrar tiempo y energía.

- Descanse mucho. Tome siestas cuando el bebé duerma.

- Limite las actividades físicas. Trate de no levantar objetos pesados, evite los quehaceres domésticos o los ejercicios vigorosos durante 4 a 6 semanas.

- Es posible que tenga que tomar medicamentos para el dolor durante varios días. El médico le recetará un medicamento que sea seguro para usted y su bebé.

Cuidado personal

¿Qué debo hacer si tengo los senos hinchados y endurecidos?

Durante la primera semana después del parto, la producción de leche aumentará de manera constante y podrá sentir los senos llenos y pesados. Lactar frecuentemente aliviará la hinchazón, pero si espera mucho u omite sesiones, los senos pueden congestionarse, endurecerse y sentirse adoloridos.

Consejos para aliviar la congestión de los senos

- Extraiga un poco de leche o calostro con la mano o bomba sacaleche. Los senos se ablandarán y será más fácil que el bebé se prenda correctamente.

- Colóquese compresas frías entre sesiones para disminuir la hinchazón. Puede utilizar bolsas de arvejas congeladas envueltas en un paño frío húmedo.

- Aumente el flujo de leche comprimiendo suavemente el seno cuando el bebé deje momentáneamente de succionar.

- Lacte cada 1 a 3 horas durante el día y cada 2 a 3 horas por la noche.

- Use un sostén para comodidad y soporte, pero asegúrese de que le quede bien y no sea demasiado apretado.

Después de varias semanas, el suministro de leche cambiará para adaptarse a las necesidades del bebé, y sus senos se verán más pequeños y menos llenos. No se preocupe, ¡no está perdiendo la leche!

¿Qué hago si me duelen los pezones?

Los pezones pueden estar sensibles durante la primera semana cuando usted y su bebé están aprendiendo a lactar. Muchas madres sienten un tirón o estiramiento cuando el bebé se prende al seno. Esto es normal. La lactancia no debe doler si el bebé está en una buena posición. Si siente dolor por más de unos cuantos segundos, el bebé puede no haberse prendido correctamente. Interrumpa la succión, separe al bebé del seno e inténtelo de nuevo.

Consejos para aliviar los pezones adoloridos

- Coloque al bebé en la posición correcta. Recuerde, la barbilla debe tocar el seno y la boca debe estar completamente abierta.

- Si los senos están repletos y duros, extraiga una pequeña cantidad de leche o calostro para ablandarlos.

- Inicie cada sesión en el seno que está menos adolorido. Si ambos senos están adoloridos, aplique un paño tibio húmedo y déles un masaje suave para iniciar la bajada de la leche.

- Si es necesario, lacte con más frecuencia (cada 1 ó 2 horas) y por menos tiempo (10 a 15 minutos o hasta ablandar el seno).

- Mantenga el bebé cerca para prevenir tirones de los pezones. No se olvide de interrumpir la succión antes de quitar al bebé del seno.

- No es necesario que se lave los pezones antes de cada lactancia. Incluso el agua pura, cuando se usa con frecuencia, reseca la piel.

- Después de cada lactancia, ponga una pequeña cantidad de leche materna en la areola y pezón de cada seno. Para mantener la piel humectada, puede también usar lanolina modificada. ¡Con un poco basta!

- Si los pezones le duelen, se agrietan o sangran, consulte a su proveedor de atención médica.

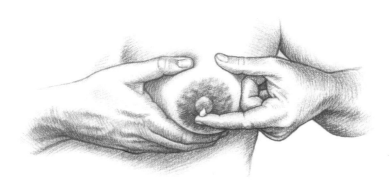

Lubrique la areola y el pezón con unas cuantas gotas de leche materna después de cada lactancia para aliviar la irritación.

¿Cómo puedo evitar que los senos goteen?

A veces se produce un goteo cuando usted piensa en su bebé, escucha su llanto o el de otros bebés, espera mucho para lactar o tiene relaciones sexuales.

Consejos para controlar el goteo

- Puede detener el flujo de leche presionando las palmas de sus manos contra sus pezones o cruzando los brazos contra su pecho.

- Use almohadillas para proteger la ropa. Cambie las almohadillas a menudo y no utilice almohadillas con forros de plástico porque retienen la humedad.

- Elija ropa de colores claros y estampados pequeños para disimular las manchas.

¿Necesito cambiar mi régimen de alimentación?

¡Puede comer todos los alimentos que consumía antes! Coma alimentos variados: verduras, frutas, pan, cereales, arroz, pastas, carne, pollo, pescado, frijoles, huevos, yogurt, leche y queso. Beba suficiente líquido para evitar sentir sed. Agua, leche descremada o de bajo contenido graso y jugos de fruta sin endulzantes son buenas elecciones. Podrá saber que bebe suficiente líquido si su orina es transparente o de color amarillo pálido.

Algunas madres encuentran que ciertos alimentos ponen quisquillosos a sus bebés. Si esto ocurre, simplemente evite esos alimentos.

Manténgase saludable comiendo una variedad de alimentos.

¿Puedo tomar alcohol?

 El alcohol (cerveza, vino, licores) pasa fácilmente a la leche materna e incluso en cantidades pequeñas puede afectar su capacidad de cuidar al bebé. Si decide tomar alcohol, no tome más de uno o dos tragos por semana y espere para lactar al menos 2 horas después de tomar.

¿Puedo fumar o masticar tabaco?

El humo y la nicotina pueden hacerle daño a usted y a su bebé. Si fuma o mastica tabaco y no puede dejar de hacerlo, aún puede lactar. Sin embargo, no fume en la casa, en el auto o cerca de su bebé.

¿Puedo lactar si consumo drogas ilegales ("de la calle")?

 Las drogas que se venden en la calle (crack, heroína y marihuana) pueden hacerle daño a usted y al bebé. Las drogas ilegales pasan a la leche y al bebé. Pueden dificultar la alimentación, el sueño, la respiración y el crecimiento de su bebé. Las madres que consumen drogas ilegales no deben lactar.

¿Puedo lactar y también perder peso?

Sí. Las madres que lactan a menudo pierden peso más fácilmente que las que no lactan. Esto sucede porque parte de las calorías necesarias para producir la leche materna proviene de la grasa acumulada durante el embarazo. El resto de las calorías proviene de los alimentos que usted come. Recuerde que debe comer una variedad de alimentos sanos cada día (verduras, frutas, pan, cereales, carne, pescado, pollo, huevos, leche y queso) y hacer ejercicio regularmente.

Para perder las libras ganadas...

- beba leche descremada o baja en grasas, agua o jugos de frutas sin endulzar.

- limite las tortas, los bizcochos, los pasteles, las golosinas y los helados.

- consuma frutas frescas y verduras crudas.

- prepare la carne y el pescado al horno o a la parrilla.

- haga ejercicio diariamente (camine, ande en bicicleta, corra).

¿Qué pasa si me enfermo y necesito tomar un medicamento?

A menos que padezca de una enfermedad grave como VIH/SIDA, la mejor protección para su bebé es la leche materna, de modo que siga lactando. Consulte al médico antes de tomar cualquier medicina, incluso las de venta libre (sin receta). Asegúrese de que su médico sabe que usted está lactando para que le recomiende medicamentos que sean seguros para usted y el bebé.

Cuídese a sí misma y a su bebé. Mantenga al bebé en la habitación con usted y duerma cuando él duerma. Pida ayuda de familiares y amigos para las tareas del hogar. Si tiene que permanecer en el hospital, dígale al personal del mismo que está lactando y pregunte si el bebé puede estar con usted. Si tiene que separarse de su bebé, puede sacarse leche para aliviar los senos y mantener la producción de leche. Es posible que el hospital o la clínica WIC tengan una bomba sacaleche para que usted use. (Vea "Qué es el programa WIC", pág. 85.) La mayoría de los bebés volverán a lactar cuando se les ofrezca la oportunidad. Si el bebé se niega a lactar, pídale ayuda a su proveedor de atención médica.

¿Qué tal con las relaciones sexuales?

Al principio usted puede sentir poco interés por el sexo. El nuevo bebé exige tiempo y energía. Muchas mujeres temen que el sexo les duela o que puedan quedar embarazadas otra vez. Dígale a su pareja cómo se siente.

Antes de tener relaciones sexuales, hable con su médico acerca del control de la natalidad y elija el método que mejor se ajuste a su estilo de vida.

Cuando tenga sexo, es posible que gotee leche de sus senos. Sería conveniente lactar a su bebé antes de hacer el amor. ¡Esto le dará más tiempo para el sexo o el sueño, lo que ocurra primero!

Cuando lacta, la vagina (canal del parto) puede estar reseca y esto hace que las relaciones resulten incómodas. La aplicación de un lubricante, como el gel K-Y puede ser de ayuda. Ponga una cantidad pequeña alrededor de la abertura de la vagina antes de tener relaciones sexuales.

¿Puedo tomar píldoras anticonceptivas mientras estoy lactando?

La mayoría de las mujeres quieren planificar sus embarazos. Si espera por lo menos un año antes de quedar embarazada nuevamente, su cuerpo tendrá oportunidad de recuperarse.

Las píldoras anticonceptivas que contienen estrógeno pueden disminuir su producción de leche. En cambio, las que sólo contienen progesterona se consideran seguras. Algunas madres notan una disminución en la producción de leche aun cuando toman píldoras con progesterona solamente. Por tal razón, es mejor esperar hasta tener un buen suministro de leche (al menos 6 semanas después del parto) para empezar a tomar píldoras de progesterona. Si la producción de leche disminuye, consulte a su médico acerca de otro método para el control de la natalidad. Existen muchas opciones, que incluyen el método natural de planificación familiar, diafragmas, esponjas, anillos vaginales, dispositivos intrauterinos (DIU), condones y cremas, espumas o geles espermicidas.

¿Puedo quedar embarazada si estoy lactando?

¡Sí! Si usted lacta por completo y nunca o casi nunca le da fórmula, agua u otros alimentos al bebé, tiene menos probabilidad de quedar embarazada. En cambio si le da fórmula, agua u otros alimentos, o si usa el chupete a menudo, es más posible que quede embarazada. Si no desea tener otro bebé pronto, hable con su médico acerca del control de la natalidad.

Si quedo embarazada, ¿todavía puedo seguir lactando?

¡Sí! Muchas madres continúan lactando al primer bebé mientras están embarazadas del segundo, y muchos bebés mayores continúan la lactancia después de nacido su hermanito. A esto se le conoce como "lactancia en tándem". Para satisfacer las necesidades nutricionales de ambos bebés como también las suyas propias, consuma una variedad de alimentos sanos, beba para satisfacer la sed y duerma cuando ellos lo hagan.

Regreso al trabajo o a la escuela

¿Puedo continuar lactando después de volver al trabajo o a la escuela?

Muchas madres continúan lactando después de regresar al trabajo o a sus estudios. Esto requiere un poco de planificación adicional, ¡pero los beneficios valen la pena!

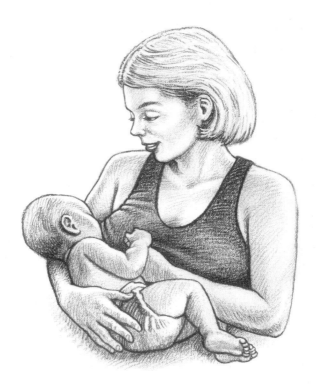

Continuar lactando después de reintegrarse a la escuela es fácil.
Simplemente necesita planificarlo por anticipado.

- La lactancia la mantiene cercana a su bebé aún cuando estén separados.

- Los bebés que lactan, son más saludables, incluso los que van a la guardería.

- Las madres que lactan faltan menos al trabajo y pierden menos ingresos.

- La lactancia ahorra el tiempo que toma medir, mezclar y entibiar la fórmula.

- La lactancia simplifica la vida de las madres, especialmente la de aquellas que se reintegran al trabajo o a la escuela.

Aprenda cómo extraer y guardar la leche materna.
Si planifica alimentar a su bebé con su leche cuando estén separados, necesitará aprender cómo extraerla y conservarla. Practique cuanto antes y con frecuencia, para que tenga tiempo de aprender esta importante técnica antes de regresar al trabajo o a la escuela.

Decida quién va a cuidar de su bebé. Elija una guardería que:

- proporcione un lugar seguro y limpio para el bebé.

- se haya ocupado anteriormente de atender bebés que lactan.

- entienda y apoye la lactancia materna.

- esté cercana a su trabajo o escuela para que pueda lactar durante el día.

Introduzca el biberón o la taza. Si el horario de trabajo le impide estar con el bebé durante las horas en que se alimenta, necesita saber que él aceptará alimento de otra fuente que no sea su pecho y de alguien que no sea usted. Aproximadamente 2 semanas antes de volver al trabajo, ofrezca al bebé

2° trimestre – Reúnase con su jefe. Elija una guardería.

3er trimestre – Asista a clases prenatales de lactancia.

su leche en un biberón o en una taza. (Los bebés pueden aprender a tomar de una taza a cualquier edad). Si utiliza un biberón, pruebe diferentes clases de tetinas hasta encontrar la apropiada para su bebé. Puede resultarle más fácil si otra persona le ofrece la leche extraída.

Nacimiento – Lacte tan pronto pueda.

Semana 1 – Lacte un mínimo de 8 veces cada 24 horas.

Semana 2 – Aprenda a extraer y recolectar la leche; congélela para usarla después.

Semana 4 – Introduzca el biberón o la taza.

Semanas 6 a 12 – Espere 12 semanas para regresar al trabajo si le es posible.

2 semanas antes de volver al trabajo – Decida cuánto tiempo necesita todos los días para estar listos usted y el bebé.

1 semana antes de regresar al trabajo – Practique la rutina.

Después de regresar al trabajo – Aproveche al máximo el tiempo que pasen juntos.

¿Cómo extraigo la leche?

Puede extraer la leche con la mano o con una bomba sacaleche. Las madres que necesitan extraerse leche a menudo o por varias semanas o meses, pueden alquilar o comprar una bomba sacaleche eléctrica con un equipo especial que permite bombear ambos senos al mismo tiempo.

Al principio, sólo conseguirá exprimir leche suficiente como para cubrir el fondo del recipiente. ¡No se decepcione! Puede que transcurran varios días antes de que note un aumento en la cantidad de leche extraída. Trate de relajarse y piense en su bebé.

Consejos para extraer la leche con una bomba sacaleche

Puede extraer leche de un seno mientras el bebé lacta del otro, o extraer leche entre sesiones de lactancia. Cuando el bebé succiona el seno, se produce un reflejo de bajada de la leche. Las madres que utilizan la bomba sacaleche mientras lactan con frecuencia obtienen más leche. Si el bebé no puede adaptarse al flujo de leche adicional, se alejará del seno por algunos segundos hasta que el flujo disminuya. ¡Es útil tener a mano una toalla para absorber la leche!

- Antes de comenzar, lávese las manos con agua y jabón y enjuáguelas bien.

- Siga las instrucciones provistas con la bomba sacaleche.

- Bombee de 5 a 10 minutos o hasta que el flujo de leche disminuya. Descanse 3 a 5 minutos y repita este proceso una o dos veces.

- Extraiga de cada seno hasta que el flujo de leche disminuya y el seno se ablande.

- Después de cada uso lave la bomba sacaleche con agua caliente y jabón y enjuague bien.

- En el trabajo o la escuela, enjuáguela con agua caliente. Al regresar a casa, lávela con agua caliente y jabón.

Consejos para extraer la leche manualmente
- Presione el seno contra el pecho, luego apriételo suavemente entre el pulgar y el resto de los dedos.

- Vaya moviendo el pulgar y los dedos alrededor del seno hasta que todas las partes del mismo estén blandas y el flujo de leche disminuya.

Consejos para facilitar la extracción
- Elija un lugar tranquilo y cómodo.

- Coloque paños humedecidos en agua tibia sobre sus senos.

- Dése masajes en los senos con un movimiento circular.
- Relájese y piense en su bebé.
- Escuche un casete de relajación o de música.
- Mire una foto de su bebé.
- Coma algo saludable.

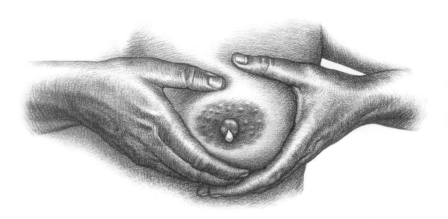

La extracción manual es fácil y económica.

Puede guardar la leche en cualquier recipiente sellado hecho para alimentos. Utilice un recipiente cuyo material no tienda a romperse, desgarrarse o volcarse en el refrigerador o el congelador. Existen incluso bolsas de plástico destinadas exclusivamente a guardar leche materna. Coloque el recipiente con leche en el refrigerador o el congelador, o guárdela en un termo o nevera.

Puede extraer la leche en cualquier recipiente de boca ancha hecho para contener alimentos.

¿Cómo elijo una bomba sacaleche?

Espere hasta después de que su bebé haya nacido para comprar o alquilar una bomba sacaleche. Puede descubrir que los planes que hizo durante el embarazo han cambiado. He aquí algunas cosas a considerar cuando se elige una bomba sacaleche...

- ¿Por qué necesita una bomba sacaleche?
- ¿Con qué frecuencia planea usarla?
- ¿Es cómoda?
- ¿Es fácil de usar?
- ¿Es fácil de limpiar?
- ¿Cuánto cuesta?

Hay diferentes tipos de bombas sacaleche: manuales, operadas a batería, semiautomáticas eléctricas y automáticas eléctricas (de ciclo automático). Ya sea que piense usarla dos o tres veces por día o dos o tres veces por semana, debe elegir una que le resulte cómoda y fácil de usar. La bomba sacaleche debe comprimir el seno suavemente y extraer bien la leche con un mínimo de succión. ¡La extracción de leche debe ser rápida, fácil y sin dolor! Otras características importantes son la succión ajustable, protección contra flujo inverso y capacidad para bombeo doble. Las bombas sacaleche más costosas están disponibles para venta o alquiler.

¿Por cuánto tiempo puedo almacenar la leche?

Trate a la leche materna del mismo modo en que cuida los demás alimentos. Guárdela en un lugar fresco, refrigérela tan pronto le sea posible y congélela para usarla más tarde. Si está guardando la leche para un bebé sano nacido a término, siga estas sencillas sugerencias.

- Guarde la leche en cualquier recipiente sellado hecho para alimentos. Etiquete cada recipiente con

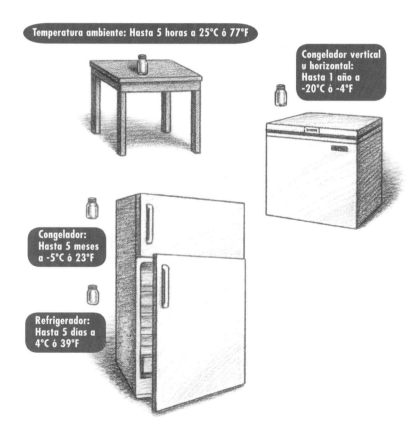

Temperatura ambiente: Hasta 5 horas a 25°C ó 77°F

Congelador vertical u horizontal: Hasta 1 año a -20°C ó -4°F

Congelador: Hasta 5 meses a -5°C ó 23°F

Refrigerador: Hasta 5 días a 4°C ó 39°F

su nombre, el nombre del bebé, la fecha y la hora. Ponga una sola porción por recipiente.

- Los tiempos de almacenamiento recomendados varían. Para estar segura, mantenga la leche en un ambiente fresco hasta 5 horas, en el refrigerador hasta 5 días, en la sección del congelador del refrigerador/congelador hasta 5 meses o en un congelador tipo vertical u horizontal por hasta 1 año. Si olvida los tiempos de conservación, ¡simplemente recuerde el número de los dedos de una mano: cinco!

- Para descongelar, coloque un recipiente sin abrir en el refrigerador o en un envase con agua caliente. No descongele ni entibie leche para su bebé en un horno de microondas. El horno de microondas destruye las células vivas y calienta la leche de manera despareja. La leche caliente puede quemar a su bebé.

- La leche que se haya descongelado en el refrigerador debe usarse dentro de las próximas 24 horas. La leche que se haya descongelado sobre un recipiente de agua tibia debe usarse inmediatamente o guardarse en el refrigerador por hasta 4 horas. Toda leche que haya quedado en el envase usado para alimentar al bebé (es decir, el biberón o la taza) debe desecharse.

- La leche materna es fácil de preparar. No es necesario calentarla. Simplemente retire la leche del refrigerador y sírvala. Si el bebé prefiere la leche a temperatura ambiente, coloque el recipiente cerrado en un envase con agua tibia por algunos minutos.

Cómo obtener ayuda

¿Dónde puedo encontrar ayuda acerca de la lactancia?

Existen varios profesionales de la salud a quienes puede recurrir si necesita ayuda, que incluyen los nutricionistas del WIC, las consultoras de lactancia certificadas por la Junta Internacional, las líderes de la Liga de la Leche y las compañeras-consejeras de lactancia. Las familiares y amigas que hayan practicado la lactancia pueden ser también una fuente de orientación y aliento. Si usted o su bebé tienen un problema de salud, comuníquese con su médico o pediatra de inmediato.

¿Qué es el programa WIC?

El WIC (Programa suplementario de alimentación especial para mujeres, bebés y niños) es un programa gubernamental especial de nutrición que provee alimentos sanos y asesoramiento nutricional a mujeres de bajos ingresos que están embarazadas, han dado a luz recientemente o están lactando, y a niños de hasta 5 años de edad. Casi el 50 por ciento de los bebés nacidos en los Estados Unidos participan en el programa WIC. Las nutricionistas, enfermeras y consejeras de lactancia del WIC atienden entre 7 y 8 millones de mujeres y niños cada mes.

¿Cómo califico para el WIC?

Sus ingresos tienen que ser menos de cierto nivel determinado, tiene que vivir en un área que cuente con una clínica WIC y tiene que estar en "riesgo nutricional". Un profesional de la salud determinará si una mujer o un niño están en riesgo nutricional.

Si sus ingresos le permiten participar en los programas de *Food Stamps, Medicaid* o *Temporary Assistance to Needy Families* (Asistencia temporaria a familias necesitadas— TANF), ya cumple con el requisito de ingresos; pero para calificar para el WIC tiene que además cumplir con los requisitos de residencia y estar en riesgo nutricional.

¿Qué alimentos proporciona el WIC?

Los alimentos del WIC incluyen jugos de frutas y vegetales, cereales, huevos, leche, queso, manteca de maní, frijoles secos, fórmulas y cereales para lactantes. La mayoría de las clínicas WIC entregan un cheque o un cupón con el que usted puede comprar los alimentos en el supermercado más cercano. Algunas clínicas WIC le piden que busque los alimentos en un sitio específico. Otras clínicas entregan los alimentos a su domicilio.

¿Cómo ayuda el WIC a las mujeres que lactan?

- Las mujeres que lactan pueden participar en el WIC hasta que sus bebés cumplan 1 año de edad. Las mujeres que alimentan con fórmula pueden participar solamente hasta que sus bebés tengan 6 meses de edad.

- Las mujeres que lactan reciben más alimentos para ellas y para sus familias.

- Sabiendo que la lactancia es la mejor elección para los bebés, el personal del WIC la alienta y respalda.

- Algunas clínicas WIC emplean consultoras y compañeras-consejeras de lactancia que brindan apoyo durante y después del embarazo.

- Algunas clínicas WIC proveen bombas sacaleche para que las madres puedan continuar lactando después de regresar al trabajo o a la escuela.

Para encontrar una clínica WIC en su área, hable al departamento de salud local o comuníquese con...

USDA Food and Nutrition Service
Public Affairs Staff
Teléfono: (703) 305-2286
Sitio web: fns.usda.gov/wic

¿Qué es una consultora de lactancia certificada por la Junta Internacional?

Una consultora de lactancia certificada por la Junta Internacional (*International Board Certified Lactation Consultant*, también conocida como IBCLC) es una proveedora de atención de la salud con conocimientos y habilidades específicas para el manejo de lactancia. Para ser una IBCLC, la persona tiene que aprobar un examen administrado por la Junta Internacional de Examinadores de Consultoras de Lactancia (IBLCE).

Las personas con esta capacitación trabajan en hospitales, clínicas WIC, consultorios médicos y en la práctica privada. Pueden darle a usted confianza en su habilidad para lactar y ayudarle a resolver los problemas que se puedan presentar.

Para localizar a una consultora de lactancia certificada por la Junta Internacional (IBCLC) en su área, comuníquese con...

International Lactation Consultant Association
1500 Sunday Drive, Suite 102
Raleigh, NC 27607
Teléfono: (919) 787-5181
Fax: (919) 787-4916
Correo electrónico: ilca@erols.com
Sitio web: ilca.org

¿Qué es una líder de la Liga de la Leche?

Una líder de la Liga de la Leche es una madre experta que ha lactado a sus propios hijos durante por lo menos un año y está capacitada para responder a todas sus preguntas sobre la lactancia. Para ser una líder de la Liga de la Leche, la persona tiene que estar acreditada por la Liga de la Leche Internacional, una organización con el único propósito de ayudar a las madres que lactan. Las líderes de la Liga de la Leche son representantes de la Liga de la Leche Internacional y sirven como voluntarias.

Para encontrar una líder de la Liga de la Leche en su área comuníquese con:

La Liga de la Leche Internacional
1400 North Meacham Road
Schaumburg, IL 60168-4079
Teléfono: (800) 525-3243
Fax: (847) 519-0035
Correo electrónico: LLLHQ@llli.org
Sitio web: lalecheleague.org

¿Que es una compañera-consejera de lactancia?

Una compañera-consejera de lactancia es una madre que ha lactado a sus propios hijos y ayuda a otras madres de la comunidad a lactar. Para llegar a ser compañera-consejera de lactancia, la aspirante tiene que completar un programa de capacitación. Las compañeras-consejeras de lactancia pueden trabajar como voluntarias o estar contratadas por una agencia.

Para encontrar una compañera-consejera de lactancia en su área, comuníquese con el hospital, departamento de salud o clínica WIC local.

¿Qué significan estas palabras?

Alvéolos: Los alvéolos son los grupos de células dentro del seno que producen leche.

Anticuerpos: Los anticuerpos son proteínas especiales que la protegen a usted y al bebé contra las infecciones.

Areola: La areola es la parte oscura del seno que rodea al pezón.

Calostro: El calostro es la primera leche que producen los senos.

Reflejo de bajada de la leche: Cuando la leche comienza a salir automáticamente desde los senos se conoce como reflejo de bajada.

Conducto lactífero: Los conductos lactíferos son pequeños tubos que conducen la leche desde las células que la producen (alvéolos) hasta la abertura del pezón.

Glándula de Montgomery: Las glándulas de Montgomery son pequeñas protuberancias parecidas a granitos de arroz que se encuentran en la parte oscura del seno que rodea al pezón (areola).

Acerca de la autora

Amy Spangler, MN, RN, IBCLC es esposa, madre, enfermera, consultora de lactancia, educadora y autora. Se licenció en enfermería en la Universidad del Estado de Ohio y tiene una maestría en salud materna e infantil de la Universidad de Florida. Amy es una enfermera diplomada, consultora de lactancia certificada por la Junta Internacional, ex presidente de la Asociación Internacional de Consultores de Lactancia, y ex presidente del *United States Breastfeeding Committee* (Comité Estadounidense para la Lactancia). Ha trabajado con madres, bebés y familias por más de 30 años. Vive en Atlanta, Georgia, con su esposo y sus dos hijos.

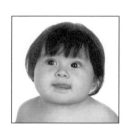

**Para más información sobre nuestros productos,
por favor escriba a:**

Amy's Babies
P.O. Box 501046
Atlanta, GA 31150-1046
Teléfono: (770) 913-9332
Fax: (770) 913-0822
Correo electrónico: amy@amysbabies.com
Sitio web: amysbabies.com